# CONTEMPORARY SOLO GUITAR

# BRAZILIAN TOP HITS

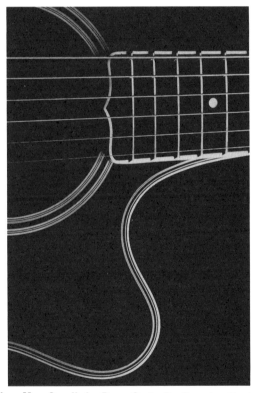

JN123654

Agua De Beber • Mas Que Nada • Reza • Canto De Ossanha • Samba de Triste
Consolação • Samba Do Aviao • Jazz N Samba • Desafinado
The Shadow of Your Smile • Wave • Garota de Ipanema

●コンテンポラリー・ソロギター・シリーズ●

# 郷愁のブラジルギター

CHUO ART PUBLISHING CO., LTD

# 序文

　ブラジルには、世界中に広まったサンバ、バイヨン、ボサノバなどがありますが、これらは数多いブラジル音楽のほんの一部です。

　サンバは1900年代前期、ボサノバは1960年代前後に生まれた比較的新しい音楽です。

　ボサノバは1958年から64年ごろにかけて起り、ブラジル音楽には大きな影響を与えましたが、世界的な流行を見るのはもう少し後のことです。A.C.ジョビンは「ボサノバはブラジル音楽そのものであり、ジャズからの影響ということはない」と言っています。バイーアの若者ジョアン・ジルベルトがリオにやってきて活躍しました。彼は特にリズム面でボサノバの発展に寄与したといわれています。

B.パウエルは「ジルベルトのリズムワークはエスコーラ・ジ・サンバのタンバリンのパターンによるものだろう」と語っています。ボサノバという名が生まれたのは1959年のリオの大学でのコンサートで、ジルベルトも出演していました。

　本書は、日本でもなじみの深い名曲を集め、サンバ、ボサノバのギターソロにアレンジしたものです。中級以上の方には弾きこなせると思います。最初はあせらずゆっくりと、和音の流れや運指をつかみ、全体をスムーズに通せるようになったらリズムをつけて演奏されるといいでしょう。単純なボサノバのリズムでも充分です。リズム・マシーンを活用するのもいいでしょう。ギターの音色はシャープに出してほしいので、右手はブリッジに近いところで弾弦するように心がけてください。

M. SEBASCHIAN

**郷愁の
ブラジルギター
目次**

# 第1部

# モダンギター基礎講座

指導／斎藤まもる

# ① ギターの楽譜と演奏

　ボサノバ・ギターをひく場合、楽譜中心にそのニュアンスを、とらえよう
としても果せないことが多い。それは楽譜自体に表現できる限界があるし、
また奏者のひく通りに寸分たがわず、或いは編曲者の頭脳に浮かぶ構想通り
を果して完全に五線上に再現できるかである。いつも書くように、ポピュラ
ー音楽は同じ曲でも、ひくごとに表現も異なってくるのが当り前である。そ
の時の全ての条件が演奏を左右する。欲を言うとポピュラーを自分の音楽と
するには、自分なりの感性と表現力を鍛える必要がある。楽譜はその源とな
るものである。むろん楽譜通りにひくことは大切である。少くともそのアレ
ンジを解釈して充分その意図を発揮する努力は上達につながっていく。ただ
し楽譜は細かなニュアンスは、特にリズムは伝達し得ないところが多い。例
えば16分音符の半分ぐらい（ぐらい！ということで32分音とはかぎらない！）
を先取りしたいニュアンスが発生しても楽譜上に、そこまで細分して書くこ
とは通常やらない。それを徹底したら、とんでもなく繁雑で、みるだけで、
ひく気もしない複雑な楽譜となってしまう。そのような個別の表現や全体の
ニュアンスはひく人にまかせることになってしまう。またポピュラーの楽譜
は（他の例は知らないが～）クラシックのそれとは若干ひき方（ノーティン
グとして）異なっている。

　これは別著にも書いているが、同じ音符でも音の出し方、のばし方が多少
違ってくる。

　例えば4分音符の2つの連続、8分と4分のタイ、8分音符の2つの連続
など、次のようにオフビートにおいては表現が違ってくる。

　次のようにレストがくる例では、オフビートの音は少し短かめにアタック
をする。これはラスト・アタックと呼ぶひき方である。

ラスト・アタックを使わない部分は、それなりに他の表示でレガートにひく指図が必要となるが、これらは表現上の解釈であるから、各個人のフレージングに対する、とらえ方にも左右されていく。もうひとつ大切なことは、基本のビートに対してのリズム・テンションを発生させる技術である。シンコペーションや3連音符なども、その効果を期待できるが、例えば一定のビートが流れていて、その上をオンビートでひく場合と、テンションを発生させたひき方とでは、微妙な差が出る。完全にビートにのって、正確に音符通りにひくと、リズミカルにはなるが、それだけ物足りなくなる。ビートとの微妙なずれが表情の面白さをつける。それを上手く説明できない面もあるが、例えば次のようなメロディーがあったとして説明を試みよう。

　　①の音符通りにひくと、正しくリズムに、のった演奏となり、几張面な範例を作り出すが、例えば回のように、わずかずつでも（この例では16分音の先取りとした）前のりにひくことでテンションが生まれる。これは回のように音符で表現しては、いけない面もあり、あくまでも要領を理解して頂くための例とみてほしい。何故なら実際、私がこれを（①を）ひいたとしても、回とは若干違ったテンションをもつと考えるからである。

# ② ボサノバ・リズムの徹底訓練

　ある程度ギターをひいている人、特にクラシックを志向した人は、楽譜をみてひくことにはなれている。まったくの初心者から、リサイタルまで開いている専門家まで訪れるが、クラシックで鍛えた技術は、さすがと思う。だがやはりジャンルの違いによる工夫や研究は別である。ボサノバの基本からやってもらうことも少なくない。楽譜通りにひくことは簡単だ。またたく間に基礎教程は完了するだろうと予想するが、実際はそういかないこともある。それは歩んで来たジャンルの違いで仕方のないこと。音量やタッチ、正確さは申分ないけれど、何か物足りない！上手いと言えるし、特に欠点も感じない演奏である。このような例で一番問題となるのは先に書いた表現や解釈の差である。(音符も含めて)その原因の大きなものに、リズム・テンションの希薄さがある。その他アクセント、コードの出し方、（これはそのコードの特長や、意図から判断して目立たせるべきところ、全体を豊かにつつみ込むように響かせるところ〜などなどである。また音を極力のばさなければ効果がない部分、アタックして短く切ってひかないとチグハグになってしまう部分、何をひいているのか、とらえどころが、なくなっている部分など）細かく語ると多くの原因が見出される。ポピュラーの感性を鍛えずに、いきなりポピュラーをひくことは難かしいと思う(ひくこと自体は可能だが)。次の例題は、リズム、コード、そしてフィーリング等も含めた訓練上に実際行っている教程である。リズム・マシーンを使いながら、ひくようにするとよい。また楽譜上の指図は不完全ではあるけど、音の長短とアクセント、アタックなどを記入してみる。これは音をきいて、とらえるのがベストだがおよその見当をつける程度と考えてほしい。そのために、ここで表示の方法をあらかじめ決めておこう。次の通りである。

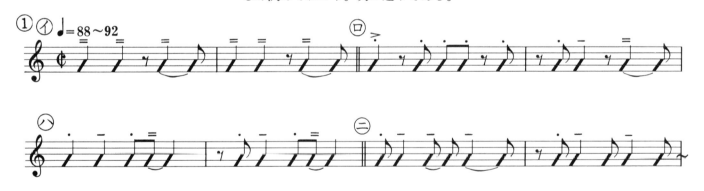

＝は音符の長さ一杯充分音をのばしてひく！
－は＝よりも少し短かめに、のばしてひく！
・は音を切ってひく！（ミュートもしくは、ピチカート）
×はミュートしてひくか、P指を弾弦直後に弦にあてて、
　音を切る！！
＞はアクセンティション（強くひく！）
≫はより強くひく（＞よりも強くアタックする！）
×については、インデフィニッシュ・ノートとして、必ずしも弾弦しない
　ケースも発生する。（弦にふれるのみで、殆ど音はきこえない！）

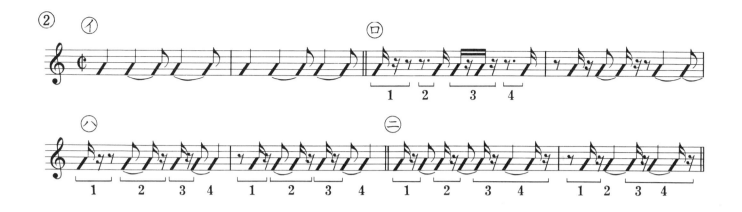

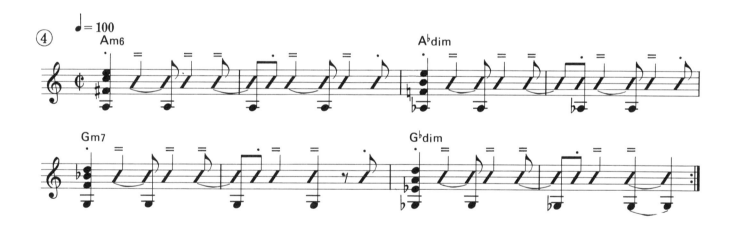

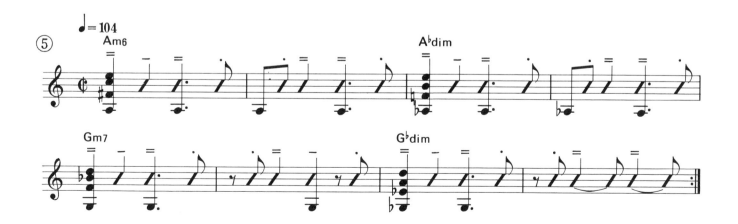

11

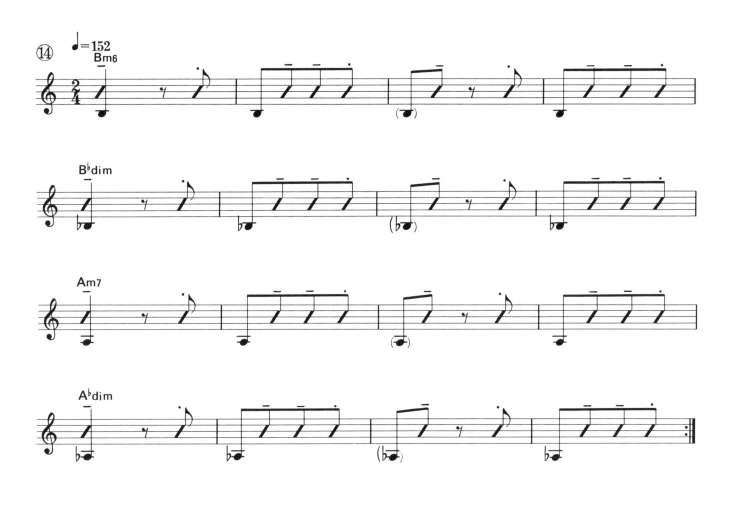

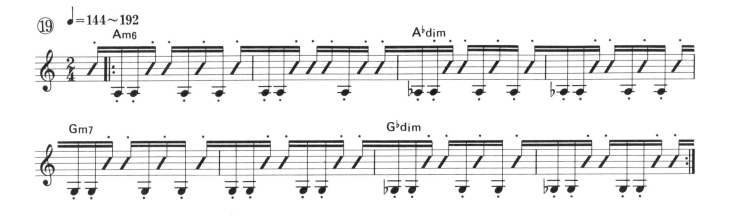

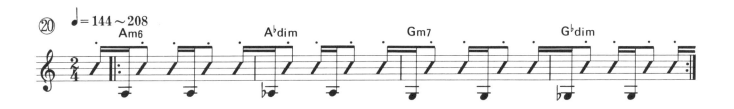

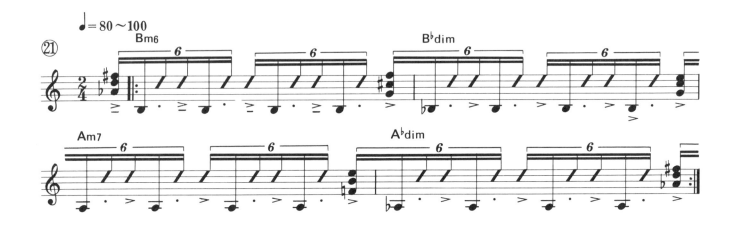

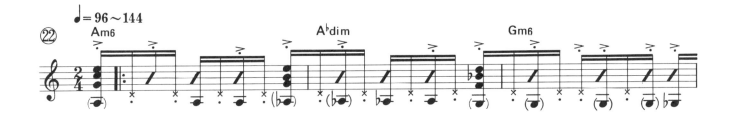

## ■音のカットについて

　音の切りかたの方法としては、弾弦した指先を素早く弦にあてて音を消す。課題の⑮あたりから、ひんぱんに使うことになるが、テンポが早いほど、それだけ素早くタッチしないと間に合わない。早いテンポでは、弦をひいた直後には、弦と指先が戻っていて（同時に消音されている）次の弾弦体制に入っている具合になる。Ｐ指とｉｍａ指の両方をカットする場合はＰとｉｍａが交互に連動するかのように所定の動きを描く筈である。

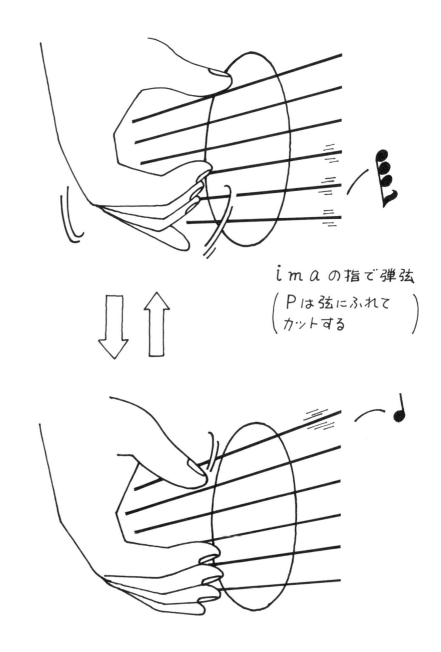

ｉｍａの指で弾弦
（Ｐは弦にふれて
カットする　）

この動作はP指を、先に弾弦したと仮定すると次のようになる。

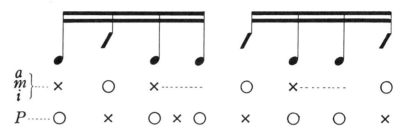

　○印は弾弦、×印は押えてカットする指図である。P指をひく時は同時に
ｉｍａは弦を押えて消音（カット）していると共に、次にｉｍａをひく時に
準備体制完了ということである。そのｉｍａをひいた時には同時にP指は弦
を押えて消音し次の弾弦（P指の）準備体制に入っているというわけだ。説
明すると面倒だが、なれると自動的にPとｉｍａの両方が、同じパターンと
角度で交互に連動するようになる。一方が弦を押え、一方が弦をはじく〜と
いう、この動作は同時とみてよい。P指のみをカットしてｉｍａはレガート
に出す場合は、ｉｍａは弾弦直後、弦に戻らず離れていなければならないこ
とは明らかである。これも少しなれるまで訓練を要する。P指のカットを徹
底することが必要だ。

# ■右手のひき方

　弦をひく右手の位置は、むろん自由であるが、私達はほとんど、ブリッジ寄りのところで弾弦している。これは歯切れの良いシャープな音を求めているためでもある。またその辺で弾弦することによって右指は弦に対して中ゆびから薬ゆび支点のモーションとなり、リズムへの乗りが徹底する。ホール側に右手を移動すると右指は人さし指中心、となった弾弦角度になり、音色はソフトで感情表現は楽になるが音色は甘くなり同時に、人差ゆび支点のモーションで手首に角度がつきすぎてしまい、リズム・ワークに支障がくる。クラシックをひく場合にはそれが正統なようだが。この弦に対する手首の角度、各ゆびのあたり（つめも含めて）は音色だけではなく、いろんな変化が生じるので各自研究を要する。つめの長さとか型、指頭の型、つめと指頭の関係とかによっても個人差が生じてくる。ボサノバは、いつも歯切れのよいリズムを打ち出すとは、かぎらない。時にはルーズな、けだるいムードの表現もある。10年ぐらい前に、ボサノバは①弦をひかずに②弦を音のトップにあて、ソフトな音色でリズムをひくという説が常識的であったが、それも使うことはあるが、サンバの気配の強いひき方をする、ソロギターでは、むしろシャープで、歯切れの良さを求めるから①弦をガンガン使いまくる。

　①弦を生かさなかったら演奏はアウトだとさえ言える。まるで逆説なので、どっちが本当かと、まよう人もいるかも知れない。答えは、どっちも本当だ！と言える。要するにボサノバも、いろんなスタイルがあるわけだ。

　ジャズ・ボサノバをその代表とばかりきめつけることはない。もともとボサノバはブラジルで起った〝新しい波〟なのだから、サンバやその他の音楽の色が強く入ってくる曲も演奏もあって当然と言える。例えばバーデンの来日公演での、あの迫力と、シャープな音色の演奏！、けだるいムードのボサノバとは、正反対である記憶が残っている筈だ。

　音楽というのは、その元祖は、ともかくとして、一人の奏者にのみ独占されない以上は、派生的にいろんな流派？が生まれたり、発展したりして複雑化していく。原点に戻ろう！なんて運動も出てくる。一人一人が自分のオリジナリティーを工夫するから、ボサノバだって、あらゆる要素が入り乱れ、リズムひとつにしてもヴァリエーションは大変な数になる。サンバ（Sの方のサンバ）にしても、古色豊かなサンバは本場でも一部のマニアックな対照と化し、一般は、ロックやジャズや、その他の音楽の影響多大な、今流行の（現在のサンバ）音楽が中心となっていると訪れた人は語る。これは、どこの国でも同じである。リオに行けば昔ながらのサンバ、ブェノスに行けば昔ながらのタンゴ、プエルトリコに行けば、ボレロと言ったものが街にあふれているなら旅も楽しいけれど、今は望めない。どこの国でもヒットは現在のポップなのだ。世界が同次元で動いているわけだ。日本にいる方があらゆるジャンルに接しられて、外国に行っても、あまり学べない！という声も耳にする。

# 第2部

# サンバ・ボサノバの名曲

# おいしい水
## Agua De Beber

●A.C.JOBIM曲

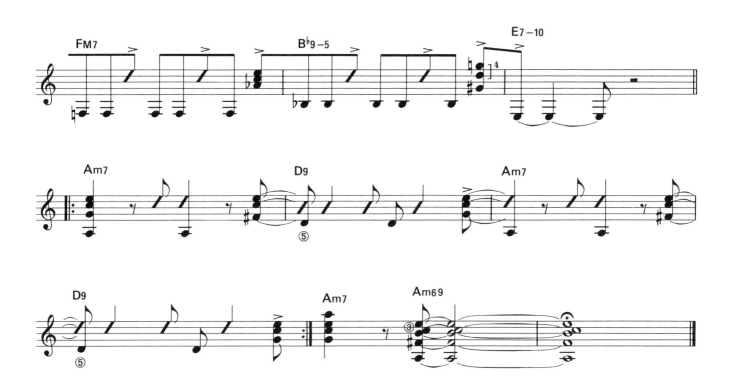

# マシュケナダ
## Mas Que Nada

●JORGE BEN曲

# 祈 り
## Reza

●Edu Robo曲

# オッサーニャの歌
## Canto De Ossanha

●B.POWELL，VINICIUS曲

# サンバ・トリステ（悲しみのサンバ）
## Samba de Triste

●B.POWELL曲

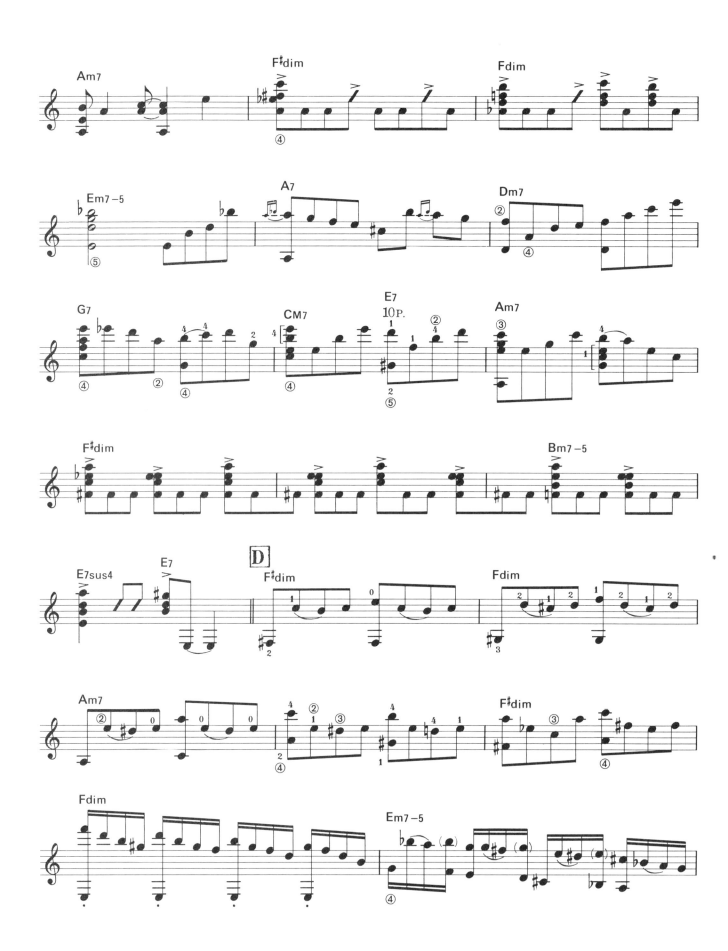

# コンソラソン(なぐさめ)
## Consolacao

●Baden Powell 曲

# ジェット機のサンバ
## Samba Do Aviao

●A.C.JOBIM曲

# ジャズ・サンバ
## Jazz N Samba
●A.C.JOBIM曲

# ディサフィナード
## Desafinade

# いそしぎ
## The Shadow of Your Smile
●JOHNNY MANDEL 曲

# ウェーヴ
## Wave

●A.C.JOBIM曲

# イパネマの娘
## Garota de Ipanema
●A.C.JOBIM曲

# 第3部

# 演奏解説

マシュケナダと共に、セルメン等でも有名な曲、このギター・ソロはあまりきかないが、ひき方によっては充分楽しい曲でもある。
　Ⓐ Ⓑのテーマを、よくはあくしてひくこと。ベースとのオープンなハーモニーによる下降のフレーズがⒷの1小節と5小節めに出てくるのでレガートに響かせるように。Ⓒからはリズムが派手についてくるので、テンポが遅くならないようにひくこと。

ベースのためにリズムがおくれないように注意。

　Ⓓからコードによるソロに移る。リズムに気をつけてひきまくる。Ⓔからのヴァリエーションも同じようにポジションをマスターの上で一気にひきまくっていくこと。コーダはP指を懸命動かしてテンポが、のろくならないようにして完了させること。

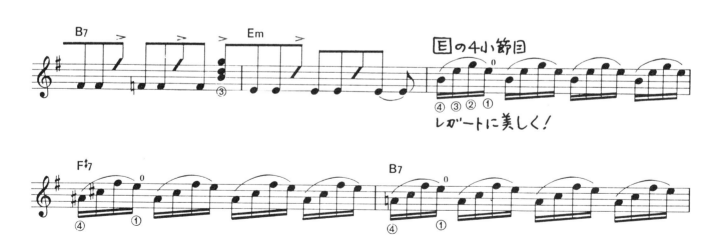

68

パウリーニョの名演があるが、これはもう少しテンポを上げて力強くひく
スタイルにしている。2拍子のテンポによくのせて、ひいていくことが大切。
特にアンティシペーションの、かかるところはテンポを、くずさないように。
テーマは④と⑧と©に分割されている。⑩は④のアドリブ・ソロのパートと
なる。曲は短いが、一気にひきまくれるように訓練と暗譜を必要とする曲。

この曲は、ギター・ソロでは初公開である。かなり著名な曲で、ブラジルのアーティストは取り上げている曲だ。ニガーズの気配を感じる曲。Ⓑからのテーマが特長的である。そしてⒸは打って変ったメロディーが飛び出す。テンポもそこで速くして強いアタックでもり上げよう。そしてⒸの6小節からⒷのテーマを転調して取り上げた。Ⓓからはアドリブに入るが、同じパターンで、ポジションの移動のみですむところが多いので、よくマスターしよう。

　またⒹの10～12小節の音は①弦Eをオープンに扱うカンパネラを多用している。和音を誤まらないようによく確認しよう。

バーデンがフルートとひいている。アフリカ気配の強い名曲だけど、ギター・ソロ譜は初めておめにかかる筈である。Ⓑからのテーマがベースが伴う関係で少し、ひきにくい。特に1小節目の3拍目のGコードのところは注意する。

Ⓒからのヴァリエーションは、コードは同じものが使われる。ここはリズムをきかせるところである。Ⓓは前に出てきたⒷのテーマがFキィーに一時、転調させた型。Ⓔからは完全に幻想風なヴァリエーションである。リズムをよく打ち出しながらシャープにドライヴを利かせてひきまくるところだ。

この曲は、バーデンはもとより、スタンゲッツなどの演奏でも著名である。メロディーはシンプルなだけに表現には注意を払う曲といえる。テーマのⒷに入ってから大切なことはF♯°→F°のベース音をしっかり出す。リズムは、この曲全体がそうだが、基本ビートに対して½拍の前のりが常に行われているので、その加減になれてしまうことである。Ⓒからはアドリブに入るが、Ⓒの8小節目に出てくる小さな音符はインデフィニッシュ・ノートであるから、アクセントは置かないことだ。

↑印と同じに考えてもらい、軽く音が出てるか出ないかの程度でよい。場合によっては音は出てなくてもよい。同じⒸの13小節目からの、それも同じ扱いにする。Ⓓからのアドリブは、バロック風のニュアンスをつけたが、バーデンのそれとは異なる。Ⓓの2小節のベース音と上のメロディーは少しひきにくくなるので、よく訓練しよう。6小節目からのF°のスケールによるダウンは、ポジションをよくマスターしておいて、暗符でひくように。20小節目からのベース音も↑と同等の扱いをしてもよい。

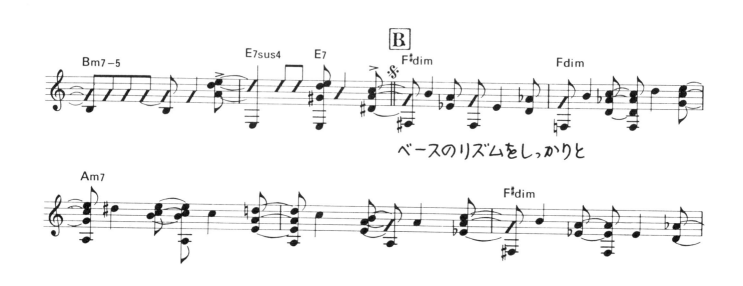

ベースのリズムをしっかりと

S・タパジョス、B・パウエル等が好演している曲。イントロはテーマを暗示させるものを、たっぷりとひく。Ⓐからのテーマは①弦のE音をそのままオープンで扱いながら、カンパネラ風に②弦中心でテーマを演じていく。

ゆったりと気分をこめて

テンポが幾度か変化するので注意しよう。Ⓑからは144〜168と速くなる。この曲はⒸでも別のテーマが出てくる。あとはⒹでひくようなEm→Bmの連続で曲のヴァリエーションや盛り上がりをつける曲だ。Ⓓからはシャープな音色をブリッジ側で出し、リズミカルにヴァリエーションを展開していく。ⒺとⒻも同じプログレッションでの変化球である。やはりシャープにダイナミカルにひいていく。Ⓖのところも確かなテンポで終始しよう。

テンポをくずさないよう注意

ジェット飛行機のテイクオフのさまを描いたものと聞く。近代的な曲だ。
ルバートを設けてテーマを前もって少し暗示することにした。そのあとは、
おなじみの6.9コードのダウン＆アップによるパターン。位置さえ憶えておけ
ば誰にもひけるフレーズ。Ⓑからテーマに入る。メロディーを少し、はっき
りと強くひいてみよう。ベースの下降も、よく出すように。Ⓓからのアドリ
ブ・フレーズは、一寸ききなれたフレーズが4小節ほど出てきてあとはコー
ドと単音のソロになる。リズムによく乗るように、しっかりマスターしてい
くことが大切。Ⓔも同じくテーマ部のコードによるソロである。シャープな
音をきかせてほしい。コーダ②は例の6.9コードのパターンを3連符のニュア
ンスの連続で終始する。これも強いアタックのシャープな音色を出してひいて
いく。

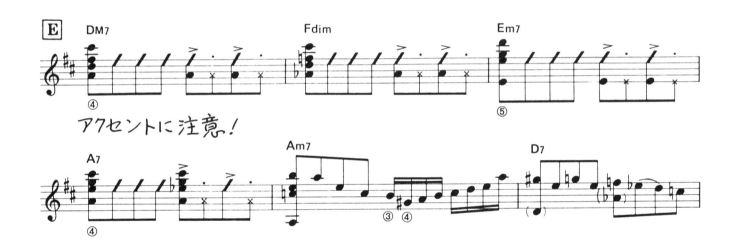

A・C・ジョビンの作による。同じような音があって、とらえにくい向き
もある曲だ。一度、ジルベルトの歌をきくのもよいだろう。リズミカルに演
奏すると効果的なアレンジである。Ⓓからのアドリブ・フレーズを軽快に生
かして行くと本曲は完成する。Ⓔからのスラーの記号はレガートにひく意味
であり、いわゆるスラー奏法の指図ではないので念のため。

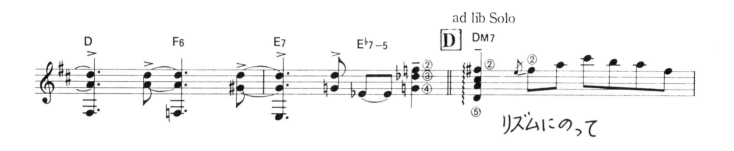

バーデンはこの曲をひいていない。タパジョスも然り。パウリーニョがひいていて、同じ拙著の「ボサノバギターの饗宴」にそのコピーをのせた。音はブラジル盤より採取したものである。生徒も上級クラスは挑戦する曲だ。この曲のアレンジは、約10年前にＳ社、拙著の「ボサノバギターのすべて」にのせたことがあるが、今回のものは、それとは異なる。

　Ⓐよりテーマをひき、ⒷはテーマのＡ＋Ａ'にあたる部分をひく。ⒸはＡ＋Ａ'＋ＢのＢの部分だ。ⒹはそのＢの変型でＢ'といえる。とにかく変化にとんだ曲で、うっかりすると同じ個所をくり返してしまいそう。Ⓔでアドリブに入る。コードも変化にとんで面白いので是非挑戦してみよう。バレーによる押え込みがよく使われるので訓練にもなる。

スタンダード・ナンバーとしても著名な曲。メロディーに入るピック・アップ部分は、ブロック・コードによる、出だしなので、押え方を誤まらないようにしよう。

　　Bに入って4小節めのAm7に行くところのフレーズも押え方を訓練しないと上手くひけない。あとCの終りの小節に出てくるフレーズも同じようにポジションを正確におぼえておくこと。Cのアドリブは、よくテンポをとりながらひいていく。13小節のタイはレガートにひくことであり、スラーをかけない。コーダに入って終りの↓印はインディフィニッシュ・ノートでシュート気味にAフラット音をひく。

77

ボサノバ・ギターの饗宴にも書いたが、これは若干アレンジが異なる。比較的短く終るが、Ⅾのアドリブを美しくきかせてほしい曲。

あらゆる奏者が手がけていて、それぞれに味わい深い。Ⓐはベースが動くので、メロディーとの対比性を重視して美しくひく。しっかりポジションを押えてひかないとミステイクする個所だ。Ⓒはリフであるが、多少変化させている。1フレーズごとに入ってくる、フィル・インを、しっかりひきこなそう。

　　Ⓓ～Ⓔは完全にアドリブ・ソロとなる。ゆったりとしてるが、テンポが走らないようにしっかりとひいていくこと。Ⓕはリフのアドリブであるが5小節の16分音をよくひけるように。Ⓖはさびの部分にあたる。途中から若干、バロック風のアドリブが出てくるので、一音一音を、はっきりきれいにひいてほしい。Ⓗで再びリフをひき完了する。途中からの16分音によるリズムは、ｉｍａをすばやく動かしテンポが落ちないように工夫しよう。

# 4. ギターソロスタイルの演奏パターン

Piano Concerto No.3 3rd Mov.　ベートーベン

Fröhlicher Landmann　シューマン

Thais Meditation　マスネー

Violin Concerto 2nd Mov.　メンデルスゾーン

Liebestraum No.3　リスト

Swan Lake Scene 1　チャイコフスキー

エリーゼの為に　ベートーベン

Piano Concerto　グリーグ

Zigeunerweisen　サラサーテ

Prelude op.28 No.2　ショパン

Etude op.10 No.3　ショパン

Prelude op.28 No.7　ショパン

Nocturne op.9 No.2　ショパン

Valse op.34 No.2　ショパン

Prelude op.28 No.15　ショパン

Valse op.34 No.2　ショパン

Ballade　ショパン

オリエンタル・ダンス

Anitra's Dance　グリーグ

Le Tambourin　J. P. Ramcan

Sunata 3rd Mov.　ベートーベン

スベニール　F. ドルドラ

Elegie　マスネ

カバチーナ　J. ラフ

トロイメライ　シューマン

Gavotte　E.J. ゴセック

ルーレ　バッハ

Piano Concerto No.3 3rd Mov.　ベートーベン

コンテンポラリーソロギターシリーズ
**郷愁のブラジルギター**
CSG07C920720-2(1.5x)

1992年07月20日 発行　　監　修●M. SEBASCHIAN　　発行者●吉開狭手臣
発行所●
装　丁●W&G　村山恵一郎
印　刷●(有)石川美術　　　　　CAD　中央アート出版社
製　本●(有)笠松製本　　　　　〒104 東京都中央区京橋3-7-13
☎ 03(3561)7017/FAX03(3561)7018

無断複製・転載を禁じます。

郵便振替口座（東京）8-66324

日本音楽著作権協会（出）許諾番号　9208305 - 201 号

JASRAC
日本音楽著作権協会

ISBN4-88639-254-7 C0073 P2266E